CHERS AMIS RONGEURS,
JE VOUS PRÉSENTE

LES PRÉHISTOS

DES AVENTURES EN DIRECT
DE L'ÂGE DE PIERRE...
À FAIRE FRÉMIR LES MOUSTACHES !

BIENVENUE À L'ÂGE DE PIERRE...
DANS LE MONDE DES PRÉHISTOSOURIS !

CAPITALE : **SILEXCITY**

HABITANTS : NI TROP NI PAS ASSEZ NOMBREUX (LES MATHÉMATIQUES N'ONT PAS ENCORE ÉTÉ INVENTÉES !). IL Y A AUSSI DES DINOSAURES, DES TIGRES AUX DENTS DE SABRE (QUI SONT TOUJOURS EN TROP GRAND NOMBRE !) ET DES OURS DES CAVERNES.

FÊTE NATIONALE : LE JOUR DU *GRAND BZOUTH*, DURANT LEQUEL ON CÉLÈBRE LA DÉCOUVERTE DU FEU. PENDANT LES FESTIVITÉS, TOUS LES RONGEURS ÉCHANGENT DES CADEAUX.

PLAT NATIONAL : LE BOUILLON PRIMORDIAL.

BOISSON NATIONALE : LE SOURIR, UN MÉLANGE DE LAIT CAILLÉ DE MAMMOUTH ET DE JUS DE CITRON, AVEC UNE PINCÉE DE SEL ET DE L'EAU.

CLIMAT : **IMPRÉVISIBLE**, AVEC DE FRÉQUENTES PLUIES DE MÉTÉORITES.

Bouillon primordial

SOURIR

MONNAIE

LES **COQUILLETTES** :

COQUILLAGES DE TOUTES SORTES ET DE TOUTES FORMES.

UNITÉ DE MESURE

LA **QUEUE** ET SES SOUS-MULTIPLES :

DEMI-QUEUE ET QUART DE QUEUE.

CETTE UNITÉ EST BASÉE SUR LA LONGUEUR DE LA QUEUE DU CHEF. QUAND IL Y A UN DÉSACCORD, ON LE CONVOQUE POUR VÉRIFIER LES DIMENSIONS.

LES PRÉHISTOS

GERONIMO

Traquenard

Téa

Benjamin

Pandora

Farfouin

Grand-mère Tourneboulé

SILEXCITY
(Ville des Souris)
RADIO-RAGOT
CAVERNE DE LA MÉMOIRE
L'ÉCHO DU SILEX
MAISON DE TRAQUENARD
TAVERNE DE LA DENT CARIÉE
ROCHER DE LA LIBERTÉ
FLEUVE TOPAZE
CABANE D'HUM-HUM

Geronimo Stilton

ALERTE AUX MÉTÉORITES SUR SILEXCITY !

ALBIN MICHEL JEUNESSE

Texte de Geronimo Stilton.
*Coordination des textes d'*Isabella Salmoirago
avec la collaboration de Sarah Rossi *(Atlantyca S.p.A.).*
Coordination éditoriale de Patrizia Puricelli.
Dessin original du monde des préhistosouris de Flavio Ferron.
Édition de Daniela Finistauri.
Coordination artistique de Flavio Ferron.
Assistance artistique de Tommaso Valsecchi.
Couverture de Flavio Ferron.
Illustrations intérieures de Giuseppe Facciotto *(dessins)*
et Daniele Verzini *(couleurs).*
Graphisme de Marta Lorini.
*Basé sur une idée originale d'*Elisabetta Dami.
Traduction de Jean-Claude Béhar.

www.geronimostilton.com

Pour l'édition originale :
© 2011, Edizioni Piemme S.p.A. – Corso Como, 15 – 20154 Milan, Italie
sous le titre *I preistotopi – Attenti alla coda, meteoriti in arrivo*
International rights © Atlantyca S.p.A. – Via Leopardi, 8 – 20123 Milan, Italie
www.atlantyca.com – contact : foreignrights@atlantyca.it
Pour l'édition française :
© 2013, Albin Michel Jeunesse – 22, rue Huyghens, 75014 Paris
www.albin-michel.fr
Loi 49-956 du 16 juillet 1949 sur les publications destinées à la jeunesse
Dépôt légal : premier semestre 2013
Numéro d'édition : 20581
ISBN-13 : 978 2 226 24725 4
Imprimé en France par Pollina s.a. en février 2013 - L63692

Il y a des millions d'années, sur l'île préhistorique des souris, dans une ville nommée Silexcity, vivaient les préhistosouris, de courageux Souris sapiens !

Mille dangers les menaçaient chaque jour : pluies de météorites, tremblements de terre, éruptions de volcans, dinosaures féroces et... redoutables tigres aux dents de sabre ! Les préhistosouris affrontaient tout cela avec courage et humour, en se portant mutuellement assistance.

Dans ce livre, vous découvrirez leur histoire, écrite par Geronimo Stiltonouth, mon lointain ancêtre.

J'ai trouvé ses récits et dessins gravés sur des dalles de pierre, et j'ai aussitôt décidé de vous les raconter ! Ce sont de palpitantes histoires, vraiment désopilantes, à exploser de rire !

Parole de Stilton,

Geronimo Stilton !

Attention ! N'imitez pas les préhistosouris... nous ne sommes plus à l'âge de pierre !

Pluie de météorites sur Silexcity !

L'aube pointait sur **SILEXCITY**, la grande cité *(enfin, c'est une façon de parler, car nous ne sommes vraiment pas très nombreux)* des **PRÉHISTOSOURIS**.

Les premiers rayons du soleil filtraient par l'entrée de ma caverne… c'était l'heure de se lever ! Une nouvelle **JOURNÉE** de dur labeur m'attendait *(aussi dur que la pierre que je dois graver pour écrire mes articles !)*.

Mais moi, *GERONIMO STILTONOUTH*, je m'étirai dans mon lit au baldaquin en peau de bête, me tournai de l'autre côté et me remis à ronfler avec volupté.

ZZZZZZZ RONFFF ZZZZZ !

Je rêvais que je gagnais une bataille contre les féroces tigres aux dents de sabre, et que tout le monde m'acclamait comme un héros en me rendant les **honneurs**, quand l'écho d'un hurlement suraigu, aussi déchirant qu'une griffe de T-Rex, me hacha menu les tympans :

– *PLUIE DE MÉTÉORITES SUR SILEXCITY!*

Je le reconnus aussitôt : c'était le MÉTÉO-SAURE, le volatile préhistorique qui annonce la météo.

Un instant plus tard, un choc terrifiant fit vibrer les parois de ma caverne, puis un autre, et encore un autre... Ce n'était pas une pluie, mais un *déluge* de météorites !

– *Par mille crânes concassés !* criai-je. Ce reptile volant est complètement INUTILE : il annonce les catastrophes au moment où elles se produisent !

Je pointai le museau à l'entrée de la caverne pour aller lui secouer les osselets. Les météorites, grosses comme des grêlons géants, pleuvaient dru.

– N'importe qui peut faire des prévisions comme ça ! éruptai-je.

Juste à ce moment une météorite atterrit à quelques centimètres de moi, et je bondis en

ARRIÈRE. Elle m'avait manqué d'un poil de moustache !

Le météosaure ricana :

– Hé, hé, hé ! Voilà ce qui arrive aux rongeurs qui n'apprécient pas mon travail ! Et puisque tu veux faire le **casse-pattes**, je ne te dirai pas qu'on prévoit aussi des secousses sismiqu… Il n'avait même pas fini sa phrase que la terre se mit à **TREMBLER** !

IL S'EN EST FALLU D'UN POIL DE MOUSTACHE !

LE GRAND BZOUTH !

Je rentrai immédiatement dans ma caverne pour sauver mes précieux bibelots, auxquels je tiens presque autant qu'à mes moustaches ! Avec la **patte** gauche je rattrapai au vol le splendide vase d'argile que m'avait offert ma grand-mère Tourneboulé, et avec la patte droite j'agrippai le portrait de *Wanda Devinouth*, surnommée Vivi, la plus belle souris de la tribu (pour qui je brûle d'un amour enflammé, cuit et recuit comme un gigot au four... mais elle ne le sait pas car je ne lui ai pas encore dit... heu,

c'est que je suis un rongeur très **timide**!).
D'un pied je saisis ma réserve secrète de
coquillettes (la monnaie des préhistosouris), et de l'autre le bocal de *Camembert,*
mon poissontosaure domestique.
Un vrai numéro de *jongleur*!
De l'extérieur de la caverne, le météosaure me
hurla encore :

– ... et je ne te parlerai pas non plus des éruptions volcaniques imminentes !

Argh ! Il ne manquait plus que les **éruptions** ! Je sortis de nouveau : un torrent de lave BOUILLONNANTE coulait dans la rue !

Je tressaillis, terrorisé. Si je me retrouvais les pattes dedans, quelle GRILLADE !

Le météosaure brailla :

– J'ai une dernière prévision dont je ne veux pas te parler : tu vas recevoir en plein sur la tête le Grand Bz...

OH NON ! Est-ce que par hasard il voulait dire…

Et voilà. Comme je le craignais, le Grand Bzouth me frappa. Ensuite, le météosaure s'en alla, très satisfait.

– Bien fait pour toi, tête de marbre !

Je rentrai dans ma caverne avec les moustaches **roussies** et de la **FUMÉE** qui sortait par mes oreilles.

Pour me consoler, je me rendis à la cuisine et me préparai un solide petit déjeuner…

Toute cette tension m'avait donné une faim de mammouth !

Le Grand Bzouth

Le Grand Bzouth est le nom donné par les préhistosouris à la puissante foudre qui, un jour, incendia un arbre, ce qui leur permit de découvrir le feu.

AAAARGH ! LE GRAND BZOUTH !

OUILLE, OUILLE, ÇA FAIT MAL !

Je m'installai à table et attaquai un superbe gigot rôti aux herbes de marécage préhistorique. Je voulus boire un verre d'eau, mais je me souvins que le tuyau qui reliait ma caverne à la source la plus proche était cassé. Je me contentai donc d'un savoureux cocktail de prêle* et d'une coupe pleine de jus de fougère*. Après quoi, je décidai de ne pas faire ma toilette, pas seulement parce qu'il n'y avait pas d'eau, mais surtout parce que ce n'était pas encore le jour de l'Épouillage, la seule journée du mois dédiée à la propreté.

Je brossai mon habit vert feuillage, sur lequel sautillait joyeusement une colonie de

POUX préhistoriques : Zif et Zaf avec leurs 397 enfants.

Je leur adressai un salut **cordial**, qu'ils me rendirent gaiement (j'ai renoncé à les chasser, car ils reviennent toujours !).

Avant de partir, comme d'habitude, je relus mon TESTAMENT, au cas où je m'éteindrais dans la journée...

En effet, la vie à l'âge de pierre est dure, et même très dure. Dure comme du **GRANIT** ! Je pris mon **PARAMÉTÉORITE** en marbre massif et me préparai à sortir, en titubant sous le poids de l'objet.

Le paramétéorite était la dernière création d'**HUM-HUM**, l'inventeur de la tribu. Hum-Hum m'avait garanti sa parfaite efficacité. J'avançai donc dans les rues de Silexcity, tandis que des météorites de toutes tailles **PLEUVAIENT** autour de moi, certaines aussi minuscules que des grains de poivre et d'autres grosses comme des œufs de **mégalosaure** !

Je m'aperçus alors que les rues de la ville se **VIDAIENT** à vue d'œil, et pas seulement à cause des **météorites** !

Tous les habitants couraient frénétiquement,

chacun vers sa caverne, et gémissaient en se tenant le ventre :

– Ouille ouille !

– QUEL MAL DE VENTRE !

– LA GRANDE ÉPIDÉMIE SERAIT-ELLE DE RETOUR ?

Que se passait-il ? Je n'eus pas le temps de demander des explications : une énorme météorite tomba juste sur mon paramétéorite, qui sous le choc me frappa en plein sur la tête et me PLANTA en terre comme un vulgaire clou. Il me fallut des heures pour parvenir à me déclouer du sol. Ce PARAMÉTÉORITE ne servait absolument à rien !

PAR MILLE CRÂNES CONCASSÉS, J'AVAIS ÉTÉ PRIS POUR UN NIGAUD !

Hum-Hum avait réussi à me refiler une de

ses inutiles inventions ! Et ça m'avait coûté
30 coquillettes !
Cette fois, c'en était trop : je voulais qu'il me
rembourse immédiatement mes sous !

Hum... Hum... Hum !

Dès que j'eus repris mes esprits, je me **PRÉCIPITAI** vers la cabane d'Hum-Hum, le paramétéorite en patte, décidé à me faire **rembourser** mes coquillettes. Sur le chemin, je fus arrêté par une rongeuse qui distribuait des **tracts** publicitaires vantant les mérites de la nouvelle clinique des frères **LA MASSUE**. J'y jetai un coup d'œil : les frères La Massue allaient faire des affaires en or grâce à cette épidémie de **MAL DE VENTRE**...

TENEZ !

Clinique La Massue...
...et la vie vous sourit !

Maux de ventre ? Maux de dents ? Maux de pattes ?

La clinique des frères La Massue soigne tout,
même les morsures de dinosaure !

**Grâce aux nouvelles méthodes
d'anesthésie locale ou générale,
vous ne ressentirez aucune douleur !**

Anesthésie locale :
massue fine

Anesthésie générale :
massue extra-large

Profitez de l'offre exceptionnelle :

Aujourd'hui, et seulement pour vous, réduction sur les traitements
des maux de ventre ravageurs !

Fini les potions puantes du chaman Fanfaron Devinouth...

Choisissez les remèdes modernes des frères La Massue !

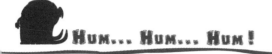

Le cours de mes pensées fut brusquement interrompu par des bruits retentissants : **KLENG !**
KLENG ! KLENG !
J'étais arrivé à la maisonnette d'Hum-Hum. Alors que je m'étais engagé sur la PASSE-RELLE qui menait à sa cabane, soudain, les rondins se mirent à avancer. J'agitai les bras pour essayer de garder l'équilibre, mais je me retrouvai les pattes en l'air et, un instant plus tard, je chutai piteusement dans l'eau.
Hum-Hum apparut à l'entrée de sa cabane et s'exclama :

CE PONT NE ME SEMBLE PAS TRÈS STABLE...

HUM-HUM
INVENTEUR

INVENTEUR GÉNIAL ET INCOMPRIS DE SILEXCITY.

SON RÊVE : RENDRE LA VIE DES PRÉHISTOSOURIS MOINS DURE GRÂCE À SES INVENTIONS.

SON POINT FAIBLE : IL EST FRIAND D'OIGNONS SAUVAGES, CE QUI LUI DONNE UNE HALEINE ÉPOUVANTABLE... MAIS IL NE FAUT SURTOUT PAS LE LUI FAIRE REMARQUER !

OIGNON SAUVAGE

– Hé, Geronimo ! Que fais-tu là, avec les pattes dans l'eau ?

Je lui adressai un regard foudroyant, tout en retirant les algues visqueuses qui s'étaient collées à mon pelage.

– **JE TE REPÊCHE TOUT DE SUITE !** lança-t-il joyeusement.

Il actionna un crochet suspendu à l'extrémité d'une poutre de bois, grâce auquel il me retira de cette eau **VASEUSE** et me déposa au sec devant sa cabane.

– Que penses-tu de ma passerelle roulante ? me demanda-t-il, ravi.

– *TA PASSERELLE ROULANTE ?* répétai-je, stupéfait. C'est quoi ? Un piège pour éloigner les clients mécontents ?

Hum-Hum haussa les *épaules*.

– Cette passerelle pourrait faciliter le transport des **VALISES** dans les *AÉROPORTS*...

– *Aéroports ?! Valises ?!* Mais qu'est-ce que c'est ?

Il prit un air inspiré.

– **Des idées nouvelles...** Si elles étaient mises en application, ma passerelle roulante serait *très utile* ! Crois-moi, un jour on s'en servira, par exemple pour acheminer les rongeurs âgés...

J'étais touché : dans le fond, Hum-Hum s'évertuait à améliorer notre vie à tous.

Alors, au lieu d'exiger le remboursement de mes **coquillettes**, je me bornai à lui dire :

– Je suis venu te rendre ton paramétéorite : il ne fonctionne pas ! Au mieux, on pourrait s'en servir pour se protéger de la **pluie**...

Hum-Hum s'illumina.

– Voilà une idée magnifique... Il faut seulement

que je trouve un moyen de l'alléger ! Merci,
Geronimo ! Tu ne veux pas être mon **ASSIS-
TANT** ?!
– Hum... non merci... me hâtai-je de décliner,
je suis déjà très occupé par *L'Écho du silex*...
Hum-Hum s'immobilisa un instant, pensif, puis
DÉCLARA soudain :
– En échange du paramétéorite, je t'offre une
invention de ton choix... Viens ! conclut-il
en m'entraînant vers son placard des
inventions.

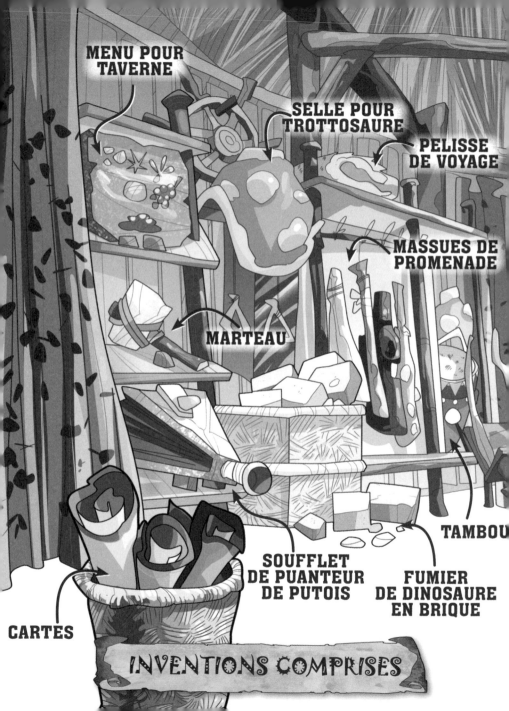

MENU POUR TAVERNE

SELLE POUR TROTTOSAURE

PELISSE DE VOYAGE

MASSUES DE PROMENADE

MARTEAU

TAMBOU

SOUFFLET DE PUANTEUR DE PUTOIS

FUMIER DE DINOSAURE EN BRIQUE

CARTES

INVENTIONS COMPRISES

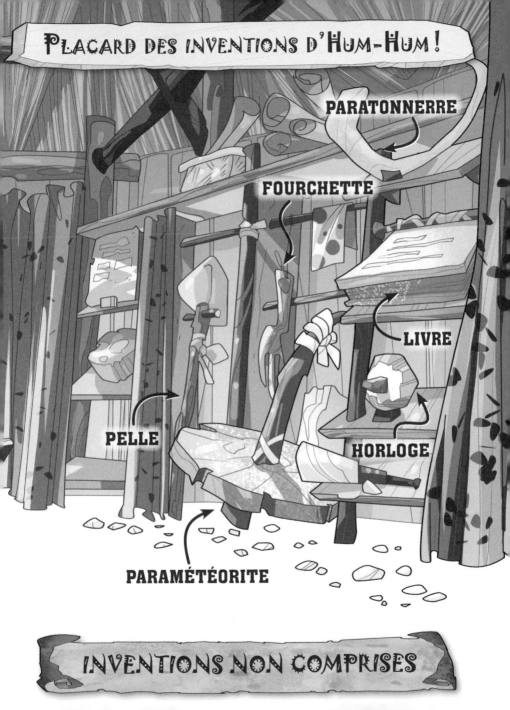

ÇA, C'EST VRAIMENT UNE BONNE IDÉE !

Hum-Hum commenta fièrement ses inventions, comme les briques combustibles à base de FUMIER de dinosaure, très pratiques pour alimenter le feu quand on n'a plus de BOIS.

Il soupira :

– J'ai vendu cette invention pour 2 coquillettes à un pauvre rongeur qui n'avait pas de quoi se chauffer l'**HIVER** dernier…

Et il poursuivit avec plus de *FERVEUR* :

– Voici les prototypes de nos armes de DÉFENSE

les plus efficaces contre les tigres aux dents de sabre : les grands **soufflets** diffuseurs de puanteur de putois préhistoriques, la **poudre gratte-gratte** qui provoque des démangeaisons insupportables, et la **recette** de la super-purée pour nourrir les gonfiosaures...

Il tira un rideau qui cachait d'autres étagères et sa mine s'assombrit soudain.

– Et voilà mes **inventions non comprises**...

Hum-Hum me confia que ces trouvailles étaient ses préférées, mais que le monde n'était pas encore prêt à les ACCEPTER !

– Un jour viendra où tous les rongeurs comprendront l'utilité de ces objets ! lança-t-il d'un ton visionnaire.

Puis, avec un coup d'œil complice, il me tendit une **pierre** ronde et plate dans laquelle était planté un **CAILLOU** cylindrique.

– Qu'en dis-tu ? me demanda-t-il, tout excité.

– Heu… très joli ! dis-je poliment. **Mais qu'est-ce que c'est ?**

– Une horloge solaire ! Elle sert à mesurer le temps et à indiquer l'heure !

– **Indiquer l'heure ?** répétai-je, confus. Je ne comprends pas…

Il secoua la tête, dépité.

– Quelle déception ! soupira-t-il. J'espérais qu'une souris intellectuelle comme toi saisirait l'utilité de cette invention ! *Ah, l'ignorance !*

Il se tut pour réfléchir.

– Hum… Hum… Hum… **J'ai trouvé !** s'écria-t-il. Il faut *absolument* que je te montre une autre invention !

Il se plongea dans les étagères en BOUGONNANT :

– Où l'ai-je rangée ?

– Qu'est-ce que tu cherches ? demandai-je.

– Tu vas voir ! Mais où… Ah ! triompha-t-il enfin en soulevant une pile de fines dalles **REC-TANGULAIRES**, reliées par des lacets de cuir. Voilà une invention faite pour toi ! Le ⓛⓘⓥⓡⓔ !

Sur ces mots, il me tendit la pile de dalles, qui m'échappa des pattes et tomba directement sur mon pied.

– **AÏE ! OUILLE !** hurlai-je. Ça fait mal !

– Tu ne veux pas de mon

livre ? s'étonna-t-il. Dommage ! Réfléchis, tu pourrais GRAVER quelque chose dessus… Je ne sais pas, la liste des courses… ou bien… des HISTOIRES !

– Des *histoires* ? répétai-je, intéressé. Comme celles que racontent nos ANCIENS à la veillée près du FEU ? Ça, c'est vraiment une bonne idée !

TIENS !
JE TE L'OFFRE !

OUUUILLE !

Je pris le livre, saluai Hum-Hum et me dirigeai vers les bureaux de *L'Écho du silex*. En chemin, je croisai un chœur de crieurs publicitaires qui s'égosillaient :

– Tarattattaaaaa, du mal d'estomac, ne te préoccupe pas, il suffit de payer, et la clinique La Massue te remettra sur pieds !

J'arrivai enfin à *L'Écho du silex*, mais les tables de travail étaient vides. Tous les **graveurs** étaient retournés chez eux à cause du mal de ventre ! Il n'y avait que ma sœur Téa, elle aussi sur le point de retourner dans sa caverne, car elle souffrait d'horribles CRAMPES d'estomac. Toutefois, avant de partir, elle remarqua l'objet que j'avais apporté et me demanda, intriguée :

– QU'EST-CE QUE C'EST ?

– C'est la nouvelle invention d'Hum-Hum ! répondis-je fièrement. Cela s'appelle « livre », et on peut y graver des histoires !

– Des HISTOIRES ? Comme celles que racontent

les anciens ? Pourquoi donc les graver là-dessus ?

– Pour ne pas oublier les récits qui nous ont fait **rire** et **rêver**, et les relire mille et une fois !
Téa sourit et me gratifia d'une bourrade sur l'épaule, si forte qu'elle aurait pu abattre un dinosaure.

– Cette idée est intéress… commença-t-elle.
Mais soudain elle **PÂLIT** et s'enfuit en criant :

– Pardon, pardon !

J'Y GRAVERAI DES HISTOIRES !

J'AI UN BESOIN URGENT, TRÈS URGENT !

Je rejoignis mon **cabinet de réflexion**, dans l'intention de

graver un article sur la nouvelle invention d'Hum-Hum, quand j'entendis résonner les tam-tams d'alarme :

TAM TA-TAM ! TAM TA-TAM ! TAM TA-TAM !
TAM TA-TAM ! TAM TA-TAM ! TAM TA-TAM !

Il s'agissait d'un message urgent du chef, **RATAPOUF OUZZ** !

Et ces roulements de tambour signifiaient :

URGENCE
RASSEMBLEMENT IMMÉDIAT
PLACE DE LA PIERRE-QUI-CHANTE !
J'ÉTEINDRAI PERSONNELLEMENT
CELUI QUI SERA EN RETARD !

Je sortis à toute allure de *L'Écho du silex* et courus à toutes pattes vers la place…

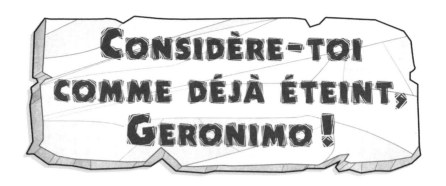

CONSIDÈRE-TOI COMME DÉJÀ ÉTEINT, GERONIMO !

Sur la place, tout le monde gémissait à cause des crampes d'estomac :

– Ouille ouille ouille !

– **QUEL MAL DE VENTRE !**

– Je n'ai rien pu avaler de la journée !

– Moi non plus !

Le chef, Ratapouf Ouzz, s'avança et leva la patte d'un geste solennel.

– Citoyens ! Nous devons faire face à une situation gravissime : *tous* sans exception, nous souffrons de maux de ventre !

Je levai timidement le doigt.

– Heu… en vérité, moi, je me porte très **bien**…

Tout le monde m'entoura, stupéfait.

– **Vraiment ? Tu n'as pas mal au ventre du touuuuuut ?**

Le chef, accompagné de sa femme Pipelette, vint vers moi et me tâta le **VENTRE**.

– Étrange… bougonna-t-il. Pourquoi ne souffres-tu pas ?

J'écartai les bras, honteux.

– Heu… je n'en ai aucune idée !

POURQUOI N'AS-TU PAS MAL AU VENTRE ?

Ratapouf s'adressa de nouveau au peuple des **PRÉHISTOSOURIS**, l'air grave :
– Habitants de Silexcity ! Un danger inconnu nous menace ! Ces maux de ventre pourraient rapidement nous mener à l'EXTINCTION ! Nous devons prendre des mesures, mais ne vous inquiétez pas : je viens d'avoir une idée géniale !
Le peuple enthousiaste exulta :
– *OOOOHHH !*
Le chef déclara :
– Je vais appeler à la rescousse notre chaman Fanfaron Devinouth !
Le peuple déçu soupira :
– Oooohhh !
Le chaman se fraya un passage dans la foule : c'était un rongeur au pelage gris, au museau émacié et à la très longue barbe blanche. De la patte droite, il brandissait un long bâton au

sommet duquel étaient attachés trois coquillages colorés.

Tout le monde s'écarta en échangeant des regards ANXIEUX.

– Chaman Fanfaron Devinouth ! l'apostropha Ratapouf. Du haut de ta sagesse, que nous conseilles-tu ?

Le chaman déclama d'un ton inspiré :

– Moi, CHAMAN FANFARON DEVINOUTH, je vois… je vois… je vois… que si nous ne faisons rien, nous nous éteindrons très vite !

LA SITUATION EST GRAVE !

Ratapouf Ouzz tapa du pied avec impatience.

– Ça, nous le savions déjà !

Un murmure parcourut l'assemblée.

– *SILENCE !* tonna Fanfaron. Sinon, le Grand Bzouth vous frappera tous ! Je vois… je vois… je vois… une souris qui n'a pas MAL AU VENTRE…

Pipelette trépigna et dit :

– Ça aussi, nous le savions : c'est lui, *GERO-NIMO STILTONOUTH* !

Le chaman avança sur moi en me scrutant malgré ses yeux plissés et me montra du doigt.

– Oui ! C'est *ce* rongeur ! C'est lui l'élu qui nous sauvera !

– **L'élu ?** répétai-je, incrédule.

Ce mot n'annonçait rien de bon…

– Heu… *élu* dans quel sens ?

Fanfaron haussa la voix afin que tout le monde l'entende :

– Étant donné que tu es le seul à ne pas avoir

mal au ventre, tu es le seul qui puisse accomplir une mission superdangereuse : UNE MISSION OÙ TU RISQUERAS L'EXTINCTION ! Il te faudra trouver…

Tous les habitants retinrent leur souffle.

– … la recette de la potion contre le GRAND MAL DE VENTRE ! Viens dans ma caverne, afin que je t'instruise des détails de ta MISSION…

Je tentai de me défiler, mais Pipelette me rattrapa par l'**oreille**.

– Où vas-tu, petit malin ?

Aussitôt, mes amis et parents vinrent m'embrasser et… me **PLAINDRE** !

– PAUVRE GERONIMO…

– Nous t'aimions tellement !

– Tu étais si sympathique…

MON PAUVRE GERONIMO…

NOUS T'AIMIONS TELLEMENT !

Même mon ami Farfouin se mit à **SANGLO-
TER**, bouleversé.
Alors, les **pattes** tremblantes et le moral
dans les talons, je me dirigeai vers la caverne
du chaman.

TU VAS NOUS MANQUER !

LA CAVERNE DU CHAMAN

Pipelette Ouzz me poussa rudement dans la **caverne** de Fanfaron. À l'intérieur, il régnait une atmosphère *humide* et **SUFFOCANTE**. Je reniflai une forte odeur d'herbes médicinales. Quand mes yeux se furent accoutumés à l'obscurité, je distinguai un foyer au centre de la grotte et, au-dessus, des **paniers** pleins de baies, de graines et de fleurs séchées. Aux murs étaient suspendus d'étranges masques *CÉRÉMONIAUX*.

Soudain, quelqu'un brandit une

torche enflammée devant mon museau, et une patte aux doigts effilés m'effleura le menton en susurrant :

– *Te voilà enfin !*

Je hurlai, terrorisé :

– Qu'est-ce que c'est ? Un f-fantôme ?

La voix murmura :

– Je te croyais moins froussard !

J'écarquillai les yeux et vis devant moi le visage le plus gracieux de toute la tribu...

C'était celui de *Wanda*, la fille du chaman, une rongeuse intelligente et très, très fascinante !

Wanda me fixa de ses splendides yeux gris comme la pierre, et **profonds** comme un ciel de tempête.

–Es-tu heureux de me voir, Geronimo ?

Je ne savais si je devais pâlir d'émotion ou **ROUGIR** de timidité, alors je me couvris de

Wanda Devinouth

YEUX : GRIS COMME LA PIERRE.
CHEVEUX : LONGS ET ONDULÉS.
CARACTÈRE : DÉCIDÉ, MAIS AUSSI D'UNE GRANDE DOUCEUR. ELLE OBTIENT TOUJOURS CE QU'ELLE VEUT.
LOISIRS : PENDANT SES MOMENTS DE LIBERTÉ, ELLE DOMPTE DES DINOSAURES SAUVAGES.

ELLE NE SUPPORTE PAS : LES MAUVAISES ODEURS. C'EST POURQUOI ELLE ASPERGE TOUT D'EXTRAIT DE MUGUET !

taches blanches et rouges, comme un dinosaure qui aurait la **r⊙u𝓰e⊙l𝑒**.

– B-bien sûr que… je suis heureux de te voir, Wanda… bredouillai-je.

Je m'apprêtai à lui faire le **baisepatte**, mais elle retira prestement son bras et me serra si vigoureusement la patte qu'elle faillit me broyer les doigts !

QUELLE RONGEUSE !

À ce moment, le chaman fit son entrée dans la grotte.

– **Aehm !** toussota-t-il. Ma chère victime… enfin, je veux dire mon cher élu, en tant que **CHAMAN**, je vois des choses, que vous, vulgaires préhistosouris, ne

ES-TU HEUREUX DE ME VOIR ?

AÏE !

pouvez même pas imaginer… clama-t-il d'un ton solennel.

Puis il baissa la voix et me chuchota à l'oreille, en me lançant un CLIN D'ŒIL complice :

– Par exemple, je vois à ta mine de nigaud que tu aimerais te **fiancer** avec ma Vivi…

Je rougis encore plus, et il en remit une couche en ricanant :

HEU... MOI, EN VÉRITÉ...

– Hé… tu es rouge comme une ÉCREVISSE préhistorique ! J'ai vu juste, n'est-ce pas ? Dommage que tu ne sois absolument pas fait pour elle. C'est une rongeuse solide et énergique, pas comme toi qui es mou comme une boulette de brontosaure…

Mes moustaches s'affaissèrent. Il avait raison : je ne parviendrais jamais à conquérir Wanda !

– Cependant, ajouta-t-il toujours chuchotant, si

tu mènes à bien ta MISSION *(et si tu ne t'es pas éteint entre-temps),* il se peut que, peut-être, je dis bien *peut-être,* je pourrais envisager de donner mon coNʃeNteₘeNt à ces fiançailles…

Il se remit alors à parler à haute voix :

– Alors Vivi, que penses-tu de notre élu ? Parviendra-t-il à s'en sortir vivant ?

Elle me toisa de la pointe des moustaches au bout de la queue, puis tâta mes biceps d'un air sceptique.

– Côté **MUSCLE**, c'est un peu faible, décréta-t-elle. Pourtant, il n'est pas si mal, avec son air intellectuel. Il lui manque seulement…

Elle se retourna et saisit un petit bol en bois qui contenait un étrange liquide **VERDÂTRE**. Elle y trempa un doigt et étala un peu de cette bouillie sur mon museau.

– Et voilà ! Du parfum d'extrait de muguet… J'adore le **MUGUET** !

Elle renifla et s'exclama :

– Ton pelage sent la croûte de fromage préhistorique moisi… Il te faut une double dose !

Et elle me renversa le bol entier sur la tête.

Je ne pipai mot. J'étais enduit de parfum de la
pointe des **oreilles** à l'extrémité des moustaches, mais je n'osai me plaindre, et je regar-
dais Wanda en arborant un large
SOURIRE de nigaud.

Le chaman s'éclaircit la
gorge et déclama d'un
ton cérémonieux :

– Ô toi, l'élu, tu devras
te rendre à la **CAVERNE
DE LA MÉMOIRE** et trou-
ver la recette secrète
de la potion contre
le **GRAND MAL DE
VENTRE,** qui est

COMME ÇA, C'EST MIEUX !

dissimulée dans une des anfractuosités les plus reculées *(et dangereuses)* de la grotte…

Wanda **PROTESTA** :

– Mais, papounet, aucun rongeur n'est jamais revenu vivant de cette caverne ! Ce faiblard n'a pas la moindre chance de réussir !

– Ne t'inquiète pas, ma petite Vivi, répliqua le chaman. Je vais m'occuper personnellement de fortifier l'élu. Je vais lui préparer une **POTION RECONSTITUANTE** à base d'écailles de merlan préhistorique… sauf que je ne me souviens plus s'il faut que j'ajoute du pipi de putois, de la poudre d'ortie et du poil de tigre, ou bien des antennes d'escargots baveurs, de l'extrait de **DENT CARIÉE** et du poil d'ours des cavernes… ou encore des larmes de crapaud et un OS de chauve-souris… Bon, ça n'a pas d'importance : nous la ferons goûter à la vict… heu… je veux dire à l'élu, et nous verrons bien ce que ça donnera !

Il se mit à jeter dans un bol des poignées d'**herbe** et de **poudre** puante, et à y ajouter des ingrédients comme pris au hasard. Ensuite il me boucha le nez et me versa dans la gorge une mixture LIQUIDE, épaisse et dégoûtante, en m'encourageant :
– Allez, bois, ça te fera du bien !

C'EST COMME ÇA QUE JE T'AIME !

Très vite, je ressentis des démangeaisons épouvantables, et commençai à **ENFLER** démesurément. Le chaman me regarda et secoua la tête.

– Tu gonfles comme une baudruche. **TRÈS ÉTRANGE !** Chère victim… je veux dire cher élu, il te faut une autre POTION !

Sur ces mots, il me versa à nouveau dans la bouche des **mélanges** de potions diverses, observant de temps en temps les résultats.

– Alors, te sens-tu plus robuste ? Heu… non, on dirait que non… Ouff ! Qu'est-ce qui cloche dans ce bouill… enfin, dans cette potion **miracu-leuse** ? Peut-être qu'en ajoutant un peu de ceci… et de ceci… et de cela...

BREF, ÇA N'EN FINISSAIT PAS !

Alors qu'il allait me faire ingurgiter une énième mixture, je bondis en arrière et hurlai :

– **ASSEZ DE POTIONS !** Je me sens déjà mieux, beaucoup mieux ! Plus fort qu'un ours des cavernes !

Wanda me gratifia d'une bourrade sur l'épaule, si forte qu'elle aurait pu abattre un T-REX.

– Bravo, l'élu, c'est comme ça que je t'aime ! s'exclama-t-elle. Courageux, intrépide et… parfumé !

Je n'en croyais pas mes oreilles : avait-elle vraiment dit *« je t'aime »* ?! D'accord, je le reconnais, elle n'avait pas exactement dit « Geronimo, je t'aime »… mais ses mots en disaient long, n'est-ce pas ?

Fanfaron bondit devant moi en me *POINTANT* du doigt.

– Hé là, préhistosouris, ne te fais pas d'illusions ! Ma fille a une foule de *prétendants* et elle épousera celui que je désignerai ! Maintenant, occupe-toi de me rapporter la **recette** de la potion contre le Grand Mal de Ventre, ensuite nous verrons...

Wanda **SURSAUTA**, indignée.

– C'est moi, moi seule, qui choisirai le rongeur que j'épouserai, est-ce bien compris, mon petit papa ? Puis elle me fit un **clin d'œil** et ajouta à l'attention de son père :

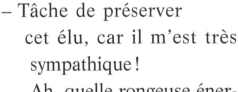

– Tâche de préserver cet élu, car il m'est très sympathique !

Ah, quelle rongeuse énergique et fascinante !

J'ÉTAIS DE PLUS EN PLUS AMOU-REUX, PLUS CUIT QU'UN GIGOT TROP CUIT ! Fanfaron me tendit une feuille de banane enroulée, sur laquelle était tracée une carte, et m'exhorta :

– **Va, ô élu !** Et reviens-nous avec la recette dont nous avons grand besoin !

Je pris la *CARTE* et sortis de la caverne du chaman en compagnie de Wanda. Elle allait me faire ses adieux, quand une grosse patte me **SAISIT** par la queue. C'était celle d'Ouzza Ouzz, la fille du chef de Silexcity.

GERONIMOU !

– **MON GERONIMOU !** chicota-t-elle. Comme tu es courageux de partir pour une mission si dangereuse ! Souviens-toi qu'ici une jeune souris fragile et *sans défense* attend ton retour.

– Heu… merci, répondis-je, perplexe. De qui s'agit-il ?

Ouzza Ouzz

– Mais de moi ! glapit-elle.

Je souris, embarrassé. Fragile ?! Sans défense ?!
En vérité, Ouzza était bien plus **FORTE** et
MUSCLÉE que votre serviteur !

Wanda s'approcha, intriguée.

– Est-ce que c'est ta **fiancée** ?

– F-f-f-fiancée ?!? Oh non non non ! hoquetai-je
en secouant vigoureusement la tête. Je ne suis
pas fiancé !

J'aurais voulu disparaître sous
terre : **quelle honte !**

Juste à ce moment, le chef,
Ratapouf Ouzz, arriva.

Il me souleva de terre
et me broya dans une
accolade SUFFO-
CANTE.

– Élu ! Je donne
mon consente-

DÉSORMAIS, TU FAIS PARTIE DE LA FAMILLE !

ment à ces fiançailles avec ma petite Ouzza ! s'exclama-t-il. Sois tranquille, tu viendras habiter dans notre **caverne**, qui est, dirai-je modestement, la plus belle de la ville. Et je t'offrirai une **massue** toute neuve ! Es-tu content ?

Je m'apprêtais à lui répondre que je n'avais nulle intention d'épouser sa fille, quand Pipelette Ouzz se présenta devant moi.

Il ne manquait plus qu'elle !

– Oh, tu seras vraiment le gendre idéal ! se réjouit-elle en me pinçant la joue. J'ai déjà pensé à tout pour les bonbonnières : je ferai sculpter cent **cœurs** en granit massif, avec vos initiales gravées… Qu'en dis-tu ?

– *ÇA SUFFIT, VOUS TOUS !* tonnai-je alors. Il n'y aura *aucun* mariage ! Je ne veux pas épouser Ouzza !

Malheureusement, personne ne m'entendit,

car les maux de ventre, brusquement revenus, déclenchèrent un **sauve-qui-peut** général vers les toilettes.

JE DEMEURAI TOUT SEUL !

Juste à ce moment, derrière moi, une voix bien connue me fit sursauter :

– Cousinet !

Je me retournai, surpris.

– **Traquenard !** Tu n'étais pas en vacances ?

ATTENTION, DANGER D'EXTINCTION !

Mon cousin Traquenard me prit par le bras et m'expliqua d'un ton joyeux :

– J'*étais* en VACANCES, mais je viens de rentrer ! Et j'ai été mis au courant de ta MISSION... En **ville**, on ne parle que de ça !

Je soupirai, désolé :

– Eh oui, je me suis fait COINCER ! Maintenant, je dois partir et...

Il ne me laissa pas le temps de poursuivre :

JE T'ACCOMPAGNE, TU ES CONTENT ?

– Eh bien, à cause de cette histoire de mal de ventre collectif, la TAVERNE DE LA DENT CARIÉE sera déserte pendant un bon moment. Donc, c'est décidé : je t'accompagne ! À propos, où dois-tu aller exactement ?

Je levai les yeux au ciel, RÉSIGNÉ : quand Traquenard a une idée en tête, inutile d'essayer de l'en dissuader !

J'acceptai sa proposition, à reculons… J'espérais que mon cousin ne nous mettrait pas dans le PÉTRIN comme à son habitude !

– Je dois me rendre dans une mystérieuse caverne… expliquai-je. Regarde, le trajet est dessiné ici.

Je déroulai la CARTE de Fanfaron, la posai par terre et me mis à l'étudier attentivement…

Dès que je découvris les lieux que nous devrions traverser pour parvenir à la mystérieuse caverne, je pâlis de frayeur !

1   Silexcity : **départ !**

2   Volcan préhistorique : **danger de grillade !**

3   Plaine des dinosaures sauvages : **danger de griffures !**

4   Marais des moustiques : **danger d'attaques groupées !**

5   Désert des scorpions géants : **danger de piqûres !**

5 Repaire des chauves-souris-garous : **danger de charges aériennes!**

7 Sables mouvants : **danger d'enlisement!**

8 Camp des tigres : **danger de carnage!**

9 Passage brumeux : **danger de désorientation!**

10 Caverne de la Mémoire : **danger inconnu!**

Sables mouvants ? Scorpions géants ? Chauves-souris-garous ? Dinosaures sauvages ?!?

QUELLE FROUSSE !

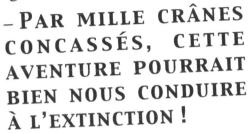

– PAR MILLE CRÂNES CONCASSÉS, CETTE AVENTURE POURRAIT BIEN NOUS CONDUIRE À L'EXTINCTION !

Traquenard haussa les épaules.

– Arrête tes histoires ! Tu verras, quand nous reviendrons *(si nous revenons !)* à **SILEXCITY** avec le remède contre le Grand Mal de Ventre, nous serons célébrés comme des héros !

Avant de partir, nous passâmes par ma caverne pour prendre ma massue et quelques provisions : du **FROMAGE**, des **baies** sèches, des **côtelettes** fumées et un gros **gigot** rôti.

J'emportai aussi une **citrouille** vide, que nous pourrions remplir d'eau en chemin.

Je jetai un dernier coup d'œil à mon foyer et, avec un soupir, je sortis pour aller affronter mon destin *(et, peut-être, l'extinction)* !

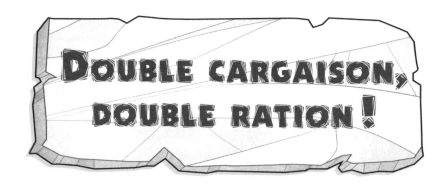

DOUBLE CARGAISON, DOUBLE RATION !

Pour commencer, nous rejoignîmes l'endroit où j'avais garé mon trottosaure. Nous montâmes en selle, mais il rua aussitôt, nous envoyant valdinguer les pattes en l'air.

– Eh, pas d'accord ! protesta-t-il. Pour une double cargaison, j'exige une double ration de CRÈME DE SUPERFRUIT !

Je fus contraint de céder : heureusement que j'ai toujours une bonne provision de superfruit ! Il l'ENGLOUTIT en un éclair du Grand Bzouth, puis nous autorisa enfin à grimper sur son dos. Il se cabra et démarra au GALOP. En un instant, nous traversâmes la ville déserte.

Nous dépassâmes la **PALISSADE** de défense anti-tigres et, suivant les indications de la carte du chaman, nous nous engageâmes dans le périlleux TERRITOIRE INCONNU, au-delà des frontières de Silexcity.

Malheureusement, les *DANGERS* signalés sur la carte étaient bien réels ! D'abord nous risquâmes de griller dans la lave du *volcan*...

FUYOOONS !

BOUUUM !

Puis nous tombâmes sur un troupeau de **dinosaures** sauvages, très, mais alors très affamés, qui nous poursuivirent, la bave aux babines, et tentèrent de nous **CROQUER** la queue...

Nous parvînmes à leur échapper en leur jetant notre **gigot**, et ces grosses bestioles se mirent immédiatement à se battre entre elles pour le dévorer !

Juste après, de terribles moustiques **carnivores**

QUELLES DENTS !

commencèrent à nous mordre les oreilles, mais nous les mîmes en fuite en faisant tournoyer nos massues. Ce fut alors le tour des scorpions **géants**, qui s'efforcèrent de piquer les pattes de mon trottosaure, et celui-ci dut sautil-

ler pour demeurer hors d'atteinte.

– Hé, cousin... me dit Traquenard en me secouant. **On est encore loin ?!?**

Je vérifiai sur la carte.

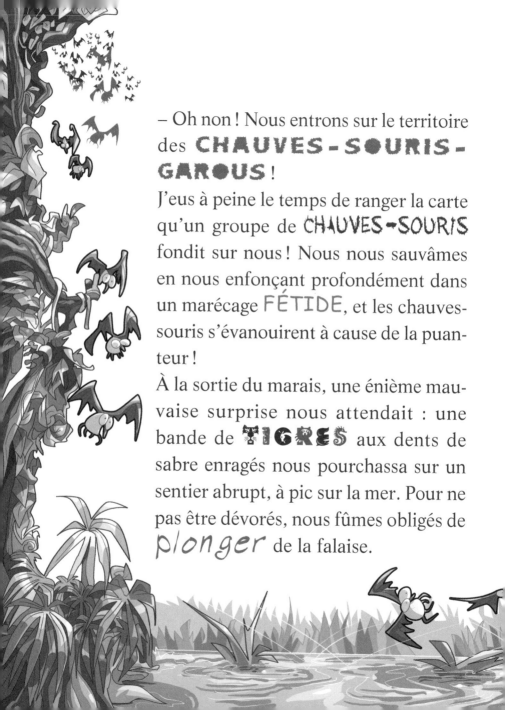

– Oh non ! Nous entrons sur le territoire des **CHAUVES-SOURIS-GAROUS** !

J'eus à peine le temps de ranger la carte qu'un groupe de **CHAUVES-SOURIS** fondit sur nous ! Nous nous sauvâmes en nous enfonçant profondément dans un marécage FÉTIDE, et les chauves-souris s'évanouirent à cause de la puanteur !

À la sortie du marais, une énième mauvaise surprise nous attendait : une bande de **TIGRES** aux dents de sabre enragés nous pourchassa sur un sentier abrupt, à pic sur la mer. Pour ne pas être dévorés, nous fûmes obligés de *plonger* de la falaise.

L'espace d'un instant, je crus que nous allions nous noyer, mais je me souvins que mon trottosaure était **amphibie** (il se déplaçait aussi bien sur terre que dans l'eau). Il nous déposa, Traquenard et moi, sains et saufs sur une plage !
Par bonheur, j'avais choisi un modèle multifonction : un bon trottosaure peut vous éviter une **extinction** précoce !
Envahi par le soulagement de ne pas m'être éteint, je **PERDIS CONNAISSANCE**. Je me réveillai peu après, car mon trottosaure me *léchait* le museau. Ému par ce geste que je prenais pour une marque d'**AFFECTION**, je l'embrassai, mais il recula prestement.

– Je voulais être sûr que tu ne t'étais pas éteint !
Pour ce sauvetage, tu me dois une triple ration de superfruit.

– Bienvenue parmi les vivants, cousin ! intervint Traquenard. J'ai **deux** nouvelles, une bonne et une mauvaise. Par laquelle veux-tu que je commence ?

– LA BONNE... murmurai-je d'une petite voix étranglée. Je n'en peux plus des catastrophes !

– La bonne nouvelle, c'est que nous sommes arrivés !

– Et la mauvaise ?

– La mauvaise est devant la caverne !

LE MOT DE PASSE !

Devant la grotte dormait un énorme **ours des cavernes**. Traquenard et moi fîmes un pas en arrière, et je marchai sur une brindille qui craqua sous ma patte. L'ours se réveilla brusquement et nous lança des rugissements menaçants, en nous fixant de ses **yeux** féroces. Le gardien, un vieil ermite à la très longue barbe, le retint :

Bon Fouffy.

– *COUCHÉ, FOUFFY !*

Puis il se tourna vers nous.

– N'ayez crainte, mon Fouffy ne mord pas... du moins pas

avant que je le lui ordonne, hé, hé, hé, ricana-t-il.

– B-bien. A-alors t-tenez-le à l'œil, demandai-je, pas très convaincu.

Vous savez… nous devons pénétrer dans la **CAVERNE**.

En entendant cela, le vieil ERMITE haussa un sourcil.

– Vous n'entrerez pas sans me donner le mot de passe ! lança-t-il, inflexible.

Désespéré, j'insistai :

– Nous avons affronté mille PÉRILS pour parvenir jusqu'ici ! Je vous en conjure, à Silexcity, tout le monde souffre du GRAND MAL DE VENTRE : je suis l'élu envoyé pour

trouver la recette de la seule potion qui puisse guérir les préhistosouris !

L'ERMITE secoua la tête, faisant ondoyer sa longue barbe.

– Si tu ne me donnes pas le mot de passe, je vous fais dévorer par Fouffy ! Et je t'assure qu'il a très FAIM : cela fait des jours qu'il n'a pas mangé !

Tandis que Fouffy BAVAIT et se pourléchait les babines à l'idée de son tout prochain repas *(en l'occurrence, nous !)*, Traquenard s'écria :

– CONCENTRE-toi, cousin, essaye de te souvenir du mot de passe !

Je tentai de me concentrer *(et je vous assure que ce n'est pas facile, avec un ours des cavernes affamé qui bave devant vous !)*.

Je me remémorai ce que m'avait dit le CHAMAN,

mais rien ne me venait à l'esprit. Ce fanfaron de Fanfaron avait oublié de me communiquer le *MOT DE PASSE* !

– Ce maudit chaman ! hurlai-je. Quand je rentrerai *(si je rentre !)*, je lui dirai ma façon de penser ! Puis je me mis à jeter des mots au hasard :

– Silexcity ! Préhistosouris ! **MILLE MILLIONS DE CRÂNES CONCASSÉS** ! Tête de noix !

Mais le gardien secoua la tête.

– Mauvais, très mauvais ! Nous n'y sommes pas du tout ! Je vais devoir lâcher Fouffy...

– Allez ! me houspilla Traquenard. Qu'attends-tu pour lui donner ce mot de passe ?! **LA PRO-CHAINE GLACIATION ?!**

Le gardien avait déjà alerté Fouffy, qui s'avançait en **GROGNANT**.

– Fanfaron ne m'a absolument *rien* dit ! m'exclamai-je, désespéré.

– Comment, comment ? dit le gardien dans

un sursaut. Ai-je bien compris ? As-tu dit : *rien* ? Bravo, c'est justement le *MOT DE PASSE* !

Traquenard et moi échangeâmes un regard perplexe.

– *COUCHÉ, FOUFFY !* ordonna le vieil ermite. Oublie la queue de l'élu !

Mais Fouffy, énervé par cette occasion manquée, fit mine de ne pas entendre et me mordit la **pointe** de la queue. Puis il revint près de son maître en continuant à nous fixer.

Nous allumâmes des **TORCHES** et, Traquenard et moi restant à distance respectable de Fouffy *(on ne sait jamais...)*,

nous pénétrâmes tous les quatre dans la mystérieuse **caverne de la Mémoire**.
Nous grimpâmes des escaliers et dépassâmes
la tanière de Fouffy. Nous nous retrouvâmes
alors dans un immense espace, avec de très
hautes colonnes décorées de magnifiques
PEINTURES rupestres, qui représentaient
des scènes typiques de notre vie de **PRÉ-
HISTOSOURIS** : fuite éperdue devant des
T-Rex, cavalcades à dos de mammouth, scènes
de bataille contre les tigres…
**MILLE MILLIONS DE COQUILLETTES POLIES,
QUEL ENDROIT INCROYABLE !**

PLUS BAS, TOUJOURS PLUS BAS...

Nous commençâmes à explorer la caverne, en suivant le *PLAN* que m'avait aussi donné Fanfaron. Nous visitâmes la salle des graffitis, où étaient rappelés les **ÉVÉNEMENTS** les plus importants depuis la fondation de Silexcity :

LA PREMIÈRE APPARITION DU GRAND BZOUTH...

... LA NAISSANCE DES JUMEAUX...

... LA DÉCOUVERTE DE LA PIERRE À FEU...

... L'ATTAQUE DE LA HORDE DE GROCHA KHAN

Puis nous admirâmes les portraits de la dynastie des Ouzz, qui, depuis des générations, occupe les fonctions de chef : de Minipouf Ouzz jusqu'à Ratapouf Ouzz.

LA DYNASTIE DES OUZZ

ARRIÈRE-ARRIÈRE-GRAND-PÈRE MINIPOUF OUZZ

ARRIÈRE-GRAND-PÈRE POUFPOUF OUZZ

GRAND-PÈRE MAXIPOUF OUZZ

RATAPOUF OUZZ

PLAN DE LA CAVERNE DE LA MÉMOIRE

DANGER PONT BRANLANT

1. **ENTRÉE**
2. **TANIÈRE DE FOUFFY**
3. **SALLE DES GRAFFITIS**
4. **SALLE DES CHAUVES-SOURIS**
5. **GROTTE DES SECRETS DES CHAMANS**
6. **LABYRINTHE DE GALERIES**
7. **SOURCE D'EAU THERMALE**
8. **LAC SOUTERRAIN**
9. **GALERIE SECRÈTE VERS LE CENTRE DE LA TERRE**
10. **CIMETIÈRE DES VICTIMES ÉTEINTES, PRISES AU PIÈGE**
11. **LOGE DU GARDIEN**
12. **BASSIN DES PIRANHAS**

DANGER PUITS
DISSIMULÉ

DANGER CHAUVES-
SOURIS FÉROCES

DANGER PALISSADE
GARNIE DE POINTES
DE LANCE

DANGER CHUTE
DE BLOCS DE
PIERRE

Nous nous apprêtions à sortir de la salle des graffitis, quand la terre se mit à trembler. Traquenard hurla :

– *FUYONS, VITE, TOUT S'ÉCROULE* !!

Nous nous précipitâmes vers la sortie, à la suite du gardien et de Fouffy qui franchirent tous deux le seuil de la **caverne**. Mais avant que nous ne puissions les imiter, une avalanche obstrua l'entrée et nous emprisonna dans la grotte !

TOUT S'ÉCROULE !

– **AU SECOUUUUURS!** couinai-je. Pauvre de nous, nous sommes piégés à l'intérieur !

– Oh… assez de pleurnicheries, se moqua Traquenard, aucun rocher n'est tombé sur nos crânes ! Je ne pus m'empêcher d'éclater de rire.

– Merci, Traquenard, c'est à ça que servent les amis : à nous faire voir l'aspect **POSITIF** des situations !

À ce moment, je remarquai que les **FLAMMES** de nos torches penchaient d'un côté à cause d'un courant d'air : cela signifiait qu'il y avait une autre sortie quelque part ! Rassérénés, nous cherchâmes le **passage**. Nous gravîmes un escalier qui nous conduisit directement à… la **GROTTE DES SECRETS DES CHAMANS** !

Je découvris la **recette** contre le Grand Mal de Ventre et la recopiai en la gravant sur le c a l e p i n de pierre que j'emporte toujours avec moi. Et voilà !

Puis je me remis en route, mais un trou béant était dissimulé sous la PAILLE qui recouvrait

le sol. Je chutai dans une sorte de **PUITS**, Traquenard à ma suite ! Je crus que nous allions nous **APLATIR** au fond, transformés en bouillie de souris. Au lieu de cela, nous tombâmes dans un torrent glacé !

SPLASH !

Le froid me gela le pelage jusqu'à la pointe des moustaches !
Le torrent **COURAIT**, impétueux, dans une galerie sombre, et se transforma soudain en **cascade** !
Après un grand saut

Au secouuuuurs !

Aaaaaaaaaaaah!

dans le vide, nous finîmes dans un petit lac souterrain, calme et limpide.

Nous nageâmes péniblement jusqu'à une petite plage de galets où nous nous écroulâmes, exténués. Tandis que nous essayions de récupérer nos forces, nous aperçûmes des lumières au fond d'un tunnel creusé dans la roche et nous entendîmes deux voix...

Bizarre, bizarre !

À QUI APPARTENAIENT-ELLES ?!

Et surtout, comment des rongeurs étaient-ils parvenus jusqu'ici ?

Nous nous dissimulâmes derrière un rocher pour espionner les nouveaux venus, et je fis signe à Traquenard de garder le silence. Peu après, grâce à la lumière de leurs torches, nous distinguâmes les mystérieuses souris : c'était les deux frères La Massue, les propriétaires de la célèbre CLINIQUE LA MASSUE !

Les frères La Massue s'approchèrent du lac souterrain et y versèrent une infâme MIXTURE. Bizarre, bizarre ! Je humai l'air et reconnus

l'odeur d'un jus superconcentré de prunes sauvages. Nous entendîmes alors l'un des frères se réjouir :

– Ha, ha, ha ! Ils vont attraper un MAL DE VENTRE encore plus apocalyptique que le précédent, ils penseront que le chaman Fanfaron est un **NIGAUD** et ils se lasseront d'attendre que l'élu revienne de sa MISSION.

– Hé, hé, hé ! ricana l'autre. En admettant qu'il revienne ! Bien peu sont sortis de la **caverne de la Mémoire**... vivants !

– Et donc, continua le premier, ils viendront tous se faire soigner dans notre clinique, la clinique La Massue !

Traquenard s'apprêtait à bondir hors de notre cachette pour leur **SAUTER** dessus, mais je l'arrêtai : il valait mieux

QUELLES CANAILLES !

les suivre, pour découvrir le chemin de la **SORTIE** !

Tandis que nous suivions les deux bandits le long des galeries **souTerraines** de la caverne, ma cervelle entra en action.

VOYONS, VOYONS...

Au bout d'un moment me vint une migraine épouvantable *(nous, les préhistosouris, nous nous fatiguons vite de penser !)*, mais désormais tout était clair !

1 La caverne de la Mémoire était **reliée** à Silexcity (les frères La Massue étaient sûrement arrivés par là).

2 Toute l'*eau* de la ville provenait de cette réserve souterraine.

3 Les responsables du Grand Mal de Ventre qui avait frappé la cité étaient ces **têtes de noix** de frères La Massue : ils avaient versé un jus de prunes superconcentré dans l'eau du lac !

4 Avec l'aide de Traquenard, j'avais mené à bien ma mission : je tenais la recette contre le Grand Mal de Ventre, et j'avais découvert les COUPABLES de cette épidémie soudaine !

5 De retour à Silexcity, je serais acclamé comme un héros et, qui sait... un jour peut-être, je pourrais me fiancer avec Wanda Devinouth, la rongeuse la plus **fasci-nante** de la ville !

J'étais en train de songer à elle, quand Traquenard me pinça pour me ramener à la réalité.

– *RÉVEILLE-TOI, COUSIN*, ce n'est pas le moment de rêver !

Il avait raison !

Peu après, les frères La Massue sortirent de la caverne et s'évanouirent dans la **NUIT**.

Dès que nous fûmes certains qu'ils ne pourraient pas nous voir, Traquenard et moi partîmes à notre tour : comme je l'avais imaginé, à nos pattes s'étendait Silexcity.

J'aspirai à pleins poumons l'air frais de la nuit. Comme c'était beau de revoir le ciel étoilé !

Comme c'était bon de se retrouver chez soi…

De nouveau, Traquenard me pinça l'oreille.

– *HÉ, COUSIN !* Tu rêves encore ?

– Heu… oui, excuse-moi, tu as raison. Ces derniers temps, je me sens si *romantique*…

Qu'est-ce que je n'avais pas dit là !

Traquenard se mit aussitôt à me harceler :

 – **TU ES AMOUREUX ! AMOUREUX CUIT,**

GRILLÉ-RÔTI COMME UN GIGOT TROP CUIT !
Dis-moi de qui ! Je la connais ?

Je tentai de nier, mais mes **oreilles** devinrent aussi brûlantes que de la lave incandescente.

– Non, je ne suis pas amoureux ! Heu… et même si c'était le cas… je ne te dirais jamais de qui ! Au bout de deux minutes, tout le monde serait au courant à la TAVERNE DE LA DENT CARIÉE ! Et cette commère de Sally apprendrait la nouvelle et la diffuserait partout avec sa **Radio-Ragot** ! Toute la ville saurait que je brûle pour Wan…

Je mis une patte devant ma bouche, mais c'était trop tard.

Mon cousin avait-il compris ?

Il ne pipa mot, mais me fixa d'un air coquin…

Pauvre de moi ! Allait-il moucharder et répandre la nouvelle ?

– Ça suffit avec ces bêtises ! Nous avons une mission à accomplir ! m'exclamai-je pour détourner son attention. Nous devons **AVERTIR** toute la population : personne ne doit boire l'eau des sources et des puits de Silexcity, jusqu'à ce qu'elle soit purifiée pour de bon ! Va vite réveiller nos amis, parents et les collaborateurs de *L'Écho du silex* ! Qu'ils viennent tous au bureau, armés de leurs **burins** !

Nous gravâmes toute la nuit pour préparer les dalles, qui furent placées devant les *sources* et les *puits* de la ville avec l'inscription : « Ne pas boire ! Eau polluée ! »

Puis j'apportai la **recette** du remède contre le Grand Mal de Ventre à Fanfaron, en lui recommandant de le préparer avec de l'eau d'une source située hors de la ville.

Il me remercia solennellement.

– Tu as été brave ! reconnut-il.

L'ÉCHO DU SILEX

1. **ENTRÉE**

2. **SECRÉTARIAT**

3. **AIRE DE REPOS**

4. **RÉSERVE DE DALLES**

5. **RÉDACTION**

6. **COLORATION DES DALLES**

7. **CABINET DE RÉFLEXION DE GERONIMO**

Mais avant que je ne puisse lui parler de sa fille, il me **CHASSA**, prétextant qu'il devait immédiatement préparer la potion.

Exténué par cette journée d'aventures éprouvantes, j'allai enfin **dormir**...

AMOUREUX, CUIT ET GRILLÉ !

Peu après, je fus réveillé par un employé de Radio-Ragot, qui criait la NOUVELLE du jour :

– *Geronimo est amoureux d'une mystérieuse rongeuse !*

Eh oui, ainsi que je l'avais redouté, Traquenard avait MOUCHARDÉ : il ne changera jamais !

GERONIMO EST AMOUREUX ?

DE QUI, DE QUI ?

Je me consolai en pensant qu'heureusement le nom de *Wanda* n'avait pas été cité. Mais je n'eus pas le temps de m'en réjouir, car la famille Ouzz au grand complet *DÉBOULA* chez moi !

– Qui est cette rongeuse mystérieuse ? Comment as-tu osé me trahir ?! s'indigna Ouzza.

– *LE MARIAGE EST ANNULÉ !* tonna Ratapouf en écho.

Ils sortirent de ma caverne en me lançant des regards **FURIBONDS**, tandis que j'essayais de m'expliquer :

– Je suis désolé, Ouzza, mais je t'avais dit que je ne voulais pas t'épouser… tu sais… moi…

LA VOISINE DE MA SŒUR M'A DIT QUE… BLA BLA BLA…

Juste à ce moment, les ROULEMENTS des tambours du village retentirent.

– Rassemblement immédiat ! Le chaman

distribuera à tout le monde la potion contre le GRAND MAL DE VENTRE !

À peine arrivé sur la place de la Pierre-qui-Chante, je vis les frères La Massue, plantés devant la marmite de **POTION**, qui haranguaient la foule :

– Habitants de Silexcity, ne faites pas confiance à Fanfaron ! Sa potion ne vous guérira pas ! Venez dans notre clinique : nous sommes les seuls à pouvoir vous soigner ! Et tout cela pour le prix modique de **100 coquillettes** par rongeur !

Je me ruai sur eux, furieux.

– Sales faces de reptiles ! Que le Grand Bzouth réduise vos queues en **CENDRES** ! C'est vous qui avez déclenché cette épidémie de maux de ventre : hier, mon cousin **Traquenard** et moi-même, nous vous avons surpris…

Un des frères La Massue m'interrompit :

– Ah oui ? Et comment pourras-tu prouver que c'est nous qui avons **POLLUÉ** tous les points d'eau ? Personne ne sait qu'il y a une réserve d'eau non loin de la ville et qu'il suffit de l'empoisonner pour **CONTAMINER** tous les puits et les sources !

Le second frère La Massue le fit taire d'un coup de gourdin sur le crâne.

– Silence ! Tu n'es qu'un nigaud ! Une tête de noix ! Tu viens de nous trahir en donnant tous les détails...

Tous les rongeurs de la ville saisirent leurs **MASSUES**, et les deux frères prirent leurs pattes à leur cou.

Nous n'entendîmes plus parler d'eux pendant un bon moment !

Les habitants me portèrent en TRIOMPHE en criant :

– Vive Geronimo ! Vive l'élu ! Vive le sauveur de Silexcity !

Ouzza Ouzz soupira :

– J'ai décidé de te pardonner, je t'épouserai tout de même, mon héros !

Ce fut à mon tour de prendre mes pattes à mon cou en criant :

– Excusez-moi, je dois partir, j'ai un travail urgent, très urgent !

Je m'enfermai dans mon **cabinet de réflexion**, et me mis à écrire cette incroyable histoire préhistoratique : je décidai de la **GRAVER** directement sur la nouvelle invention d'Hum-Hum : le livre de pierre !

UNE INVENTION FANTASOURISTIQUE POUR UNE AVENTURE À FAIRE FRISER VOS MOUSTACHES !

Parole de Geronimo Stiltonouth !

TABLE DES MATIÈRES

Geronimo Stilton

DANS LA MÊME COLLECTION

Pas touche à la pierre à feu !

Et aussi...

Chers amis rongeurs, ne manquez pas les prochaines aventures des préhistos !